BEELDHOUWERS IN BEELD

ZWARTE BEERTJES
254/255

GEORGE LAMPE

Beeldhouwers in beeld

FOTO'S VAN

HERMAN HAHNDIECK

A.W. BRUNA & ZOON - UTRECHT

Omslag:
DICK BRUNA
1961

*Deze uitgave werd mogelijk
gemaakt door steun van het
Prins Bernhard Fonds*

Om een kunst die op ruimte en volume is gebaseerd – in dit geval beeldhouwen – te begrijpen, beter: te 'zien', moet men zich verplaatsen in de wereld van de kunstenaar. Wat de beeldhouwer betreft: in de wereld van iemand, die niet kan nalaten wat hem bezighoudt om te zetten in ruimtelijke, tastbare voorwerpen, die nog nooit eerder op precies dezelfde manier hebben bestaan. Ze zijn de neerslag van een eigen en unieke wijze van beleven. Dit geldt ook als verwantschap met anderen of met epidemisch om zich heen grijpende stijlopvattingen aantoonbaar is. Plagiërende imitatie heeft hier natuurlijk niets mee van doen. Het gaat er om dat echte kunstwerken nooit serieprodukten zijn, maar uiting van het streven ieder werk met een nieuw en nog niet versleten gevoel te laden. Een beeldhouwer wil daartoe de materie in de hand nemen, kneden, betasten, er in hakken; tegenwoordig ook er mee smeden en lassen. Hij wil het wonderlijke beleven van de stof die zich onderwerpt, vorm aanneemt, de ruimte verovert en zinvol maakt, om tenslotte teken te worden van een menselijke inhoud. Dan is er iets van de mens zichtbaar gemaakt en tastbaar geworden. Hoe dat in zijn werk gaat weet niemand. We zien alleen hoe de kunstenaar de onverschillige materie een vreemd en fascinerend leven inblaast. Knappe psychologen hebben getracht wat er gebeurt te beschrijven. Meestal zijn ze niet verder gekomen – alhoewel dat niet gering is – dan de beschrijving van bepaalde psychische mechanismen die betrokken zijn bij het tot stand komen van kunstwerken. Hun uiteenzettingen zijn meestal verhelderender omtrent speciale gebieden van de psychologie dan omtrent het antwoord op de vraag wat kunst in wezen is. Uit de som van de geanalyseerde delen is het onmogelijk het verschijnsel te begrijpen.

Kunst is er in de eerste plaats om beleefd, in plaats van geanalyseerd te worden. Wat wij het levende van het kunstwerk noemen is een deel van het leven van de kunstenaar dat hij aan zichzelf onttrekt en aan de materie afstaat. Daarom is het natuurlijk niet verwonderlijk dat psychologen in het gebied geïnteresseerd zijn. Al werkend zijn er momenten waarin de kunstenaar zijn werk ook inderdaad voelt als een soort verdubbeling van zich zelf. Vandaar dat hij er kwetsbaar in is. Tenslotte staat er een ding dat men de stolling van een temperament, het stilstaan en vaste vorm aannemen van de hartslag van de kunstenaar, het zichtbaar worden van menselijke bewogenheid zou mogen noemen. Het is bijzonder moeilijk dit proces met woorden te omschrijven, want beeldende kunst is vooral een kwestie van 'zien'. Van 'zien' als verlengstuk of voorpost van het gevoel. Dat is iets anders – want meer – dan kijken. Muziek is een wereld van geluid, dans van beweging, schilderen van lijn, kleur en vorm. Maar geluid maken, bewegen, met kleur bezig zijn hebben op zichzelf met kunst niets van doen. Dat verandert pas als een kunstenaar ze gebruikt om iets tot uitdrukking te brengen. Al deze faktoren zijn middel en grondstof voor de kunstenaar. Ze worden pas tot kunst als ze op een bepaalde manier tot ons gebracht en gerangschikt worden. Dat gebeurt niet voordat er aan enkele eisen is voldaan. De eerste daarvan is dat er iets moet worden gezegd, de tweede is dat de vorm waarin dat gebeurt de inhoud moet dekken. Wat dat betreft onderscheidt de kunst zich niet van het leven, waarin echtheid en geloofwaardigheid van hetzelfde principe afhankelijk zijn. Kunst en leven lopen minder uiteen dan men ons probeert wijs te maken met gepraat over de kloof die de wereld van de kunst scheidt van het dagelijks leven, alsof kunst niet uit mensen is voortgekomen. Misschien ligt het aan het gebruik van het pretentieuse begrip 'kunst' dat langzamerhand een paralyserende werking schijnt te kunnen uitoefenen. Wie zich op die manier laat verlammen – door de kunst in onbereikbare hoogte te laten zweven – zal niet makkelijk het verband kunnen voelen tussen kunst en eigen tijd. Dan is het onmogelijk te zien dat het één niet los staat van het ander en er uitdrukking van is. Van de massale angst om kunst in het normale levensgevoel op te nemen hebben kunstenaars, vooral als ze een vormentaal spreken die niet onmiddellijk als geijkt verstaan wordt, veel te verduren. De luiheid van gevoel en van geest verzetten zich hiertegen, steunend op een diepe angst een vertrouwd wereldbeeld in elkaar te zien storten. Hoe diep en heftig die angst moet zijn blijkt uit de verontwaardiging en de aggressiviteit die kunstwerken kunnen ontketenen. De ironische tegenhanger van dit onverkwikkelijk proces is dat de bekendheid van een kunstenaar voor het publiek dikwijls uitsluitend afhankelijk is van de hoeveelheid schandaal, rond zijn werk gemaakt.

Men herinnert zich in dit verband misschien nog wel een filmjournaal dat in Nederland draaide toen in Engeland de beeldhouwer Epstein overleed. Zijn roem is negatief als beruchtheid begonnen. Oorspronkelijk werden zijn beelden in een soort rarekiek tentoongesteld. Niemand anders wilde ze hebben, zoveel stampij verwekten ze. Tegen betaling van een aan-

7

vaardbare entreeprijs kon men er zich om kapot lachen in het kuriositeitenkabinet, hetgeen ons middels montages uit oude journaals werd overgeleverd. Sommige van de in dit boekje gereproduceerde werken hoeven nauwelijks op hartelijker onthaal te hopen. Er zijn in de kunst van onze tijd revolutionaire dingen gebeurd. En alhoewel de 'moderne kunst' al een beetje op jaren raakt zijn er nog steeds niet te verwaarlozen aantallen lieden die er niet aan kunnen wennen. Aanvankelijk voltrokken de omwentelingen zich zo snel dat trage geesten ervan buiten adem raakten. Gevestigde overtuigingen omtrent het uiterlijk van het kunstwerk werden ondermijnd en talloze heilige huisjes in elkaar getrapt. De kunstmatige afstand tussen kunst en leven, door middel van een merkwaardige massale auto-suggestie in stand gehouden, maakt het voor velen onmogelijk in te zien dat revoluties in de kunst even onvermijdelijk en noodzakelijk zijn als elders. Misschien ligt er een moeilijkheid in het feit dat uit dit alles niets is voortgekomen, dat men voor een nieuwe eenheidsstijl – met noodzakelijke variaties – een soort artistieke pasmunt voor het heden, kan laten doorgaan. Veel van het mystisch gewauwel over de verscheurdheid van onze tijd richt zich in wezen tegen de moderne kunst, waarvan men tracht te bewijzen dat ze alleen maar de rotte vrucht is van een nog rottere tijd.

Hier begaat men dezelfde fout als wanneer men de kwaliteit van een kunstwerk afmeet aan de moralistische maatstaven die men aan het persoonlijk leven van de maker zou kunnen aanleggen; mits men kwezelachtig genoeg is zich met zoiets in te laten. Kunst is niet volgens moralistische maatstaven te benaderen en is geen zedenprekend prentenboek. Mogen de diepgaande verschillen die zich in de vormen van de hedendaagse kunst uiten *voor ons* in het oog springen, dan blijft het altijd nog de vraag of volgende generaties dat ook zo zullen zien. We kampen met de moeilijkheid dat we er middenin zitten.

Midden in het inderdaad wat onoverzichtelijk strijdgewoel van een gevecht om 'persoonlijke' opvattingen. Later zal men waarschijnlijk de verschillen minder groot vinden dan de overeenkomsten. Het is immers een feit dat een aantal abstraherende, abstracte en figuratieve kunstenaars bij aandachtige beschouwing in de benadering van hun gegeven verwanter blijken dan ze misschien zelf denken. Al was het alleen maar door een voor deze tijd typerende omgang met het materiaal en de vorm.

Er zijn momenten geweest dat men de hoop voelde opvlammen tot een nieuwe stijlsynthese te kunnen komen. Talloze idealistische theorieën ontsproten op die grond sappig maar naïef. De werkelijkheid is echter grillig en laat zich niet door idealisten vangen. Nuchter bekeken is er een ontwikkeling gestart die met iedere dogmatische omschrijving spot. In mijn ogen is dat een geluk en een teken van de echtheid, de durf en de vitaliteit – zelfs als er een portie radeloosheid bij betrokken is – waarmee men zoekt en niet in de eerste plaats van een machteloze verscheurdheid. Wanhoop en verscheurdheid waren aan vroeger tijden evenmin vreemd als aan de onze, hoe gebrekkig men zich dat soms ook realiseert. Het antwoord van de kunstenaars op de tijd waarin we leven is positief en levendig, zelfs als hun werk doortrokken is van ontzetting, verbittering en angst. Want ze zoeken naar

9

nieuwe vormen in plaats van in vormeloze apathie te
verzinken. Ze zoeken andere wegen en trachten het
gevoel aan een nieuwe inhoud te helpen. Vooral op
het moment levert de beeldhouwkunst – internationaal – een machtige bijdrage tot dit positieve élan.
Sinds de beeldhouwers zich met energie wierpen op
de herontdekking van zuiver ruimtelijke en plastische waarden en van nieuwe mogelijkheden om de
werkelijkheid waarin wij leven te 'be-leven' staat voor
hen de weg weer open naar die andere ruimtevor-
mende wereld van de architectuur. Dat de beeldhouwer daardoor een belangrijke plaats in de maat-
schappij – als medeschepper van haar gelaatstrekken
– gaat innemen spreekt vanzelf. De taak van de beeldhouwer is niet dingen te doen die hem de meeste
appreciatie verzekeren. Als het goed is, doet hij wat
zijn hart hem ingeeft, zelfs al mag hij verwachten dat
men er op spuugt. Hieruit resulteert een verscheiden-
heid van vormen, die als geheel uiterst moeilijk zijn
te omschrijven omdat het persoonlijk element er een
machtige rol bij speelt. Als men aanstonds de repro-
ducties in dit boekje bekijkt ziet men een staalkaart
van mogelijkheden waarvan de beeldhouwer zich heden ten dage kan bedienen. In de beeldhouwkunst
van vandaag is men niet op één taal aangewezen.
Wat men wel eens denigrerend 'de stijlloosheid van
onze tijd' noemt is in wezen een inbezitneming van
nieuwe gebieden en een verrijking van de geestelijke
kommunikatiemiddelen en uitdrukkingsmogelijkhe-
den. Hoe en waarom is de gedifferentieerde vormentaal van de nieuwe beeldhouwkunst ontstaan en
waarom bedienen sommigen zich nog steeds – het
beeld wordt er niet simpeler door – van vanouds

gangbare dialecten? Het ontstaan van een nieuwe taal in de kunst is geen toeval. Een kunstenaar gebruikt en zoekt nieuwe vormen omdat ze hem meer zeggen dan andere, die hij dus niet of niet meer gebruikt, die hij als versleten voelt.

Eigenlijk is hiermee 'in a nutshell' de oorsprong van de moderne kunst al aangegeven. Men zocht naar andere uitdrukkingsmiddelen, omdat de inhoud van wat men te zeggen had niet meer samenviel met de gangbare. Men zocht middelen om met nieuw en onverbruikt élan te kunnen werken. Men had de buik vol van academische gemeenplaatsen, die geen sterveling meer konden bezielen, laat staan kwetsen. Men wilde werken met middelen die het gevoel rauw, fris en oorspronkelijk beroerden. Een diepe en menselijke behoefte, want wat is dodelijker dan het gevoel niet te leven in wat men doet? Kunstenaars hadden er genoeg van als levende lijken officieel gedicteerde salon-allegorieën te herkauwen en te variëren. In dit verzet gingen de schilders voorop. Het materiaal waarvan ze zich bedienen leent zich gemakkelijker dan dat van de beeldhouwer voor experimenten. Het is van nature handzamer, beweeglijker en rijker aan uiteenlopende mogelijkheden.

Het zal zelfs fervente tegenstanders van de hedendaagse kunst moeilijk vallen zich voor te stellen hoe diep men indertijd werd geschokt door de nieuwe schilderkunst van de impressionisten. Het 'zien' is aan de voor die tijd revolutionaire veranderingen allang gewend. Buitendien is er naderhand heel wat meer van gevergd. In ieder geval is het zo dat op de nu algemeen geaccepteerde werken van de impressionisten met grote verontrusting en zelfs met hoon

werd gereageerd, getuige de kommentaren uit die tijd. De vitaliteit van die beweging was zo enorm dat het niet lang duurde voor de beeldhouwers zich lieten meeslepen. Er was nu eenmaal een onherstelbare barst gekomen in de opvattingen omtrent het uiterlijk van een kunstwerk. Alhoewel het niet strikt juist is Rodin tot de impressionisten te rekenen, bereikten de veranderde opvattingen over ruimte, licht, vorm en functie van het kunstwerk door hem, in de zich los-rukkende beeldhouwkunst, soms hoogtepunten van immense kracht. Merkwaardig genoeg vindt beeld-houwkunst die typische kenmerken van onze tijd draagt aanvankelijk eerder zijn oorsprong in reacties tegen het werk van Rodin, dan in de navolging ervan. Eigenlijk is in de schilderkunst hetzelfde gebeurd. Al-hoewel de moderne schilderkunst ongetwijfeld in het gebied van de impressionisten is ontsprongen, begon de konsekwente revolutie pas toen men tegen een aan het impressionisme inhaerent vormverlies reageerde. Men was weliswaar van knellende banden verlost en dat was nodig – maar de allengs sterker wordende behoefte aan nieuwe konstruktieve elementen kon er nauwelijks en later in het geheel niet bij terecht.
Hoe zagen die hoogtepunten van noodzakelijke ver-lossing er uit? Bij Rodin zien we dat konventionele voorschriften terzijde worden gegooid. In plaats daar-van komt echte bewogenheid, een bezielde konkreet aandoende dynamiek, die sterk verschilt van de thea-trale schijnbewogenheid, de bevroren wassenpop ge-baren en de symbolische santekraam die de beeld-houwer moest meetorsen. Helemaal los maken van de naar symboliek neigende tijd kon hij zich niet, maar er komt een andere inhoud in het werk. Het is

een seismografisch scherp ingesteld en praktisch permanent 'kijk-kontakt' met echte bewegende lichamen. Voor ons zal dit minder voelbaar zijn dan in zijn tijd, toen het betekende dat een algemeen geaccepteerd stuk allegorisch getinte esthetiek overboord werd gegooid. In de plaats van het 'mooie' kwam het 'karakteristieke' gebaar. Het moet echter wel zijn genie zijn geweest dat hem redde van de gevaarlijke (on-)mogelijkheden van een opvatting die soms het schilderen – met de middelen van de beeldhouwkunst – bedenkelijk naderde.

In het felle gevecht om de verovering van de nieuwe vorm mag het geen wonder heten dat Archipenko – een aan de kubisten nauw verwante figuur – vol verachting verklaarde dat Rodin's werken hem aan gekauwd brood deden denken. Een overdrijving – natuurlijk – die voor de verdere ontwikkeling hard nodig was. Want men moest niet slechts het oude geraamte kwijt, maar er een stevig ander voor in de plaats. Hiertoe ging men zoeken naar de meest elementaire principes van de plastische opbouw, voorgegaan door aanhangers van de anti-impressionistische stroming. Men wilde de beeldhouwkunst wel bevrijd zien, echter niet als een grillige lichtvanger met schilderkunstige kwaliteiten. In plaats van schilderachtige vorm zocht men plastische kwaliteit.

Men poogde het beeldhouwwerk opnieuw te verlossen. Dit keer echter van alles waardoor het kon lijken op een in het driedimensionale vertaald schilderij. Het werken met eenvoudige plastische grondvormen kwam hierdoor in het middelpunt van de belangstelling. Iets soortgelijks gebeurde in de schilderkunst, uitgaand van Cézanne's tegen het impressionisme gerichte zoeken naar eenvoudige schilderkunstige grond-vormen. Beeldhouwers gingen zich okkuperen met de strenge volumen van gesloten, geritmeerde vormen, die de immense spanningen bepleitten van een 'absolute' plastiek. Een voorganger in deze richting kan men in Maillol zien, die echter bleef haken aan een nogal klassicistisch uitgangspunt. De absoluut onschilderachtige koncentratie op de plastische grond-vorm in zijn werk neemt echter bij lange na niet het karakter van het vrije bouwen aan, dat we later heb-ben leren kennen. Want als op een gegeven moment de met kubistische vormproblemen experimenterende beeldhouwers ten tonele verschijnen, is de algehele revolutionering van de vormprincipes niet meer te stoppen. De kubisten bemoeiden zich aanvankelijk hoofdzakelijk met hergroepering, accentuering en rit-mering van de plastische waarden. Zo ontstonden er werken die men voorheen inderdaad nooit had gezien. Op dat moment werd de breuk met het verleden – in de zin van het breken met een kontinuïteit – definitief. Het duurde ook niet lang voor men tot de introductie van tot dan ongebruikelijke materialen en technieken overging. Men ging er van uit dat het wezenlijke van een zo drastisch van vroeger verschillende tijd alleen bevredigend kon worden uitgedrukt door middel van voor die tijd karakteristieke vormen, materialen en technieken. Tenslotte is de beeldende kunstenaar een man van het oog. Voor hem leeft de wereld in wat hij ziet. En die wereld verschilt dusdanig van wat er voorheen te zien was, dat een verstrekkende invloed op de in kunstwerken gebruikte vorm niet kan uitblij-ven. De vormen die door techniek en industrie uit pure zakelijke en wetenschappelijke noodzaak te voorschijn zijn gebracht, zijn overigens dikwijls dermate boeiend en indrukwekkend, dat men zich over die invloed niet behoeft te verwonderen. Men moet al bijzonder gevoelsdoof zijn om niet onder de indruk te komen van de fascinerende schoonheid van een radiotelescoop, dat enorm, spinnewebachtig, de ruimte beluisterend gehoorapparaat. Het binnendringen van de techniek in ons landschap – vreemde driedimensionale objekten verrijzen, waarvan we weten dat iedere konstruktie-verbinding eraan die het oog grijpt, zin heeft – geeft de wereld die wij als normaal en vanzelfsprekend beschouwen een struktuur die daarvóór ondenkbaar was. De vormen die ons omringen zijn anders dan vroeger, en in de kunst keren ze terug als vormen, die uiting zijn van een veranderd vormgevoel. Het maakt een enorm verschil of men leeft tussen de verkeersmoeilijkheden van trekschuit en koets, of tussen die van scooters, auto's en straaljagers. Niet alleen dat de vorm van deze aan de drang tot snellere en meer comfortabele voortbeweging ontsproten objekten sterk verschilt, maar het 'zien' van die vorm wordt door het eraan verbonden begrip van snelheid beïnvloed. Voor ons is het resultaat dat vormen voor ons besef snelheid kunnen suggereren. Niet doordat een mannetje in driftige beweging is afgebeeld, maar door een het begrip snelheid op zichzelf uitdrukkende gesteldheid van de vorm, die daarvoor niet aan een voorstelling gebonden hoeft te zijn. Het is een beetje vreemd dat praktisch iedereen dit begrijpt als het om de stroomlijn van een auto of vliegtuig gaat, terwijl dit begrip verstek laat gaan als het om werken van beeldende kunst gaat. Het is natuurlijk wèl zo dat het wetenschappelijk gestandaardiseerde begrip 'stroom-

lijn' met al zijn commerciële en soms gewoonweg ko-
kette toepassingen – de éne slee nòg indrukwekkender
dan de andere – in de beeldende kunst, ook als het om
de uitdrukking van snelheid gaat niet op dezelfde manier van toepassing is. Misschien wringt daar de schoen.
De Nederlandse beeldhouwers konden zich niet aan
de meeslepende stroom van vernieuwing onttrekken.
Niet minder dan hun collega's elders waren ze toe
aan ander voedsel voor hun kreativiteit. Buitendien
staat de wereld waarin wij leven lokale oplossingen
nauwelijks toe, om welk probleem het ook gaat. Tegenstanders van de moderne kunst spreken graag
snierend over een Esperanto, een internationaal
vormjargon. Het blijft echter een feit dat internatio-
nale gepréokkupeerdheid met dezelfde problemen
– dus ook vormproblemen – meer dan ooit een teken
van de tijd is. In ons verband gaat het min of meer
om de artistieke tegenhanger van een proces, dat door
de uitbreiding der kommunikatiemiddelen in gang is
gezet: het fiktief en onfunktioneel worden van grenzen. Dit wordt natuurlijk in de hand gewerkt door de
feitelijke grenzeloosheid van de beeldende kunst, die
nooit aan een handicap gebonden is geweest zoals de
literatuur vindt in de 'taalgrens'. De taal van de
beelden is er altijd een geweest voor iedereen, waar
ter wereld hij zich mocht bevinden. Wat de beeldende
kunst, dus ook het beeldhouwen, betreft is er sprake
van een verbijsterende coëxistentie van traditionele
en avant-gardistische vormen met de talloze schakels
en overgangsvormen die hen verbinden. De foto's in
dit boekje bekijkend kan het geen mens ontgaan hoe
groot de tegenstellingen zijn in de uitdrukkingswijze
waarvan men zich bedient. Men staat hier tegenover

opvattingen die niet slechts enorm van elkaar kunnen verschillen, maar tevens hun eigen problemen en de oplossing daarvan met zich meebrengen. Ik neem onmiddellijk aan, dat het voor een leek, die weinig kunst – misschien wel nooit – ziet, ongehoord moeilijk is hierin thuis te raken, vooral als hij rondtobt met wie weet welke in zijn hoofd gestampte ideeën over het enig korrekte uiterlijk van een kunstwerk. Meestal gaat het om aftandse gemeenplaatsen, die nooit de toets van redelijke kritiek doorstaan. Men kan in dit opzicht de kunstenaars niets verwijten. Zij doen wat ze moeten doen. Valt er een verwijt te maken dan dient men dat te richten tegen de verontwaardigde en niet-begrijpende leek, die zich permitteert oordelen te vellen in een materie die hij over het algemeen met de grootste nonchalance heeft bejegend. Wie zich nooit of bijna nooit de moeite getroost om kunst te gaan bekijken doet beter zijn kritiek op zichzelf te richten. Want daar het begrijpen van beeldende kunst een zaak van *zien* is, dient men *veel* te zien. Hetzelfde geldt voor moderne muziek. Alleen door *veel* luisteren kan men onderscheiden.

De moeilijkheid met dit soort robuust van zichzelf overtuigde leek – ik spreek over een bepaalde, maar helaas massaal vertegenwoordigde kategorie – is, dat hij zich niet geroepen voelt interesse op te brengen voor *de bedoelingen* van de kunstenaar. Zelfs niet als hij op een moment van gerechtvaardigde onzekerheid *vraagt* wat de kunstenaar bedoelt. Meestal betekent dit een met wantrouwen gelardeerde nieuwsgierigheid naar 'wat het voorstelt'. En omtrent voorstelling heeft hij zijn muurvast verankerde vooroordelen, kulminerend in de natuurgetrouwe herkenbaarheid van een objekt. Dit is en blijft een taai misverstand, hoewel ieder zinnig mens op zijn vingers kan natellen, hoe weinig gedétailleerde imitatie te maken heeft met kunst. Zou men bijvoorbeeld bereid zijn om een minutieuse imitatie van de ons omringende geluiden muziek te noemen? Eén der eerste dingen die men moet leren is dat de kunstenaar de faktoren die hij gebruikt in een bepaalde verhouding tot elkaar zet. Hij geeft er richting aan, verandert, versterkt hier, verzwakt daar en besnoeit of ritmeert om ze ondergeschikt te maken aan een totaalbeeld. De verwaarlozing van details kan daarbij een enorme rol spelen. Als men de grootheid van een vorm wil accentueren kan men die niet verbrokkelen door een overvloed van details. De kunstenaar ziet dikwijls de grote vorm, een ander details waartussen nauwelijks verband bestaat. Hierop berust ook de diepe schok die een kunstwerk kan teweeg brengen, als een kunstenaar zichtbaar maakt waarvan men zich nauwelijks of niet bewust was.

Als men snelheid van beweging wil uitdrukken zal men de vorm 'snelheid' moeten geven. D.w.z. dat men een aantal remmende faktoren moet weten te vermijden. Het is de taak van de kunstenaar te weten welke keuze hij moet doen: wat hij moet weglaten en wat gebruiken. Dat is een wetenschap die hem niet aanwaait. De weg die hem daartoe leidt is meestal bezaaid met mislukkingen, halfvolbrachte experimenten en bittere teleurstellingen. Het is een kwestie van hard en met weinig genade voor zichzelf werken. Die weg vol angels en klemmen moet men gaan, wil men ooit in staat zijn de vereenvoudigingen aan te brengen die het ondergeschikte werkelijk ondergeschikt maken, die het oog dwingen tussen enkele punten het essentiële waar te nemen. De tendens 'het essentiële' zichtbaar te maken is een belangrijke motor voor de vormexperimenten van de moderne kunst. De gerichtheid op onmiddellijke uitdrukking van het wezenlijke neemt momenteel talloze gedaanten aan, afhankelijk van de gesteldheid van de kunstenaar. Het gaat er om *wat* hij als essentieel voelt en *hoe* hij dit tot uitdrukking brengt. Zijn temperament, mentaliteit, karakter, zijn levensinstelling hebben daar invloed op. Ieder beeld wordt op die manier 'het uiterlijk van een innerlijk'. Het beeldt een *inhoud* uit die een *houding* is, sprekend over de *verhouding* van de kunstenaar – door middel van zijn werk – tot de werkelijkheid waarin hij leeft. Het gaat om *zijn* werkelijkheid. Aan de hand van de illustraties kunnen we dit verduidelijken. Om drie voorbeelden te noemen: het werk van Stuivenberg, dat van Tajiri en van Charlotte van Pallandt.

De door hen gerealiseerde werken geven blijk van aanzienlijke verschillen in de mentaliteit, waaruit ze zijn voortgekomen. We worden niet slechts gekonfronteerd met een driemaal andere visie, een anders geaarde emotionaliteit en een onderling scherp kontrasterende verhouding tot de visuele werkelijkheid, maar ook met een totaal verschillende omgang met het materiaal. Het gaat om een diep in hun persoonlijkheid gewortelde verschil van gevoel voor de betekenis van de plastische grondvorm als voertuig van het onzichtbare dat zichtbaar wordt gemaakt.

Het van Stuivenberg afgebeelde werk tendeert in de richting van een uiterst simpele gesloten vorm, waarin het oorspronkelijke blok nog valt te herkennen en met opzet bijna intact is gelaten. Aan dergelijk werk kan het streven ten grondslag liggen plastiek dicht bij de grondvorm te beleven, daar waar de idee geboren wordt. Er zit iets in van een overtuiging dat plastiek dicht bij huis – ik bedoel niet de huiskamer, maar bij zijn bondigste oervorm – moet blijven om eerlijk te zijn, d.w.z.: werken met middelen die de plastiek eigen zijn. In een dergelijke opvatting vindt een schilderachtige bewerking van het oppervlak evenmin plaats als niet-wezenlijk plastisch gedachte detailleringen en onderbrekingen van de grote vorm. Geslotenheid en eenvoud worden hier tot essentialia van het beeldhouwen verheven. Stuivenberg onderbreekt die 'geslotenheid' soms door het aanbrengen van een 'gat', waardoor een wisselwerking ontstaat tussen het opene en het geslotene.

Het is geen sinecure lieden die hier vreemd tegenover staan uit te leggen waar het om gaat. Men kan er op wijzen dat het meest oorspronkelijke in de plastische kunst, in zijn eenvoudigste vorm de wisselwerking is tussen deze 'openheid' en 'geslotenheid', tussen massa en ruimte. Daar men in de moderne kunst met onstilbare begeerte heeft gezocht naar de oorspronkelijke vormen van het scheppen is het niet wonderlijk als kunstenaars zich volgens de formules van uiterste vereenvoudiging trachten uit te drukken. Stelt men hier tegenover het werk van Tajiri dan kan men ervaren hoe zeer de mogelijkheden uit elkaar liggen die nog altijd binnen handbereik van de beeldhouwer zijn, zelfs als ze, waaraan men bij Tajiri bijna kan denken, de grens van het beeldhouwen dreigen te overschrijden in de richting van het experimentele tekenen. Er zit in zijn werk iets van *een tekenen tegen de hemel*. De kantachtig opengewerkte struktuur van zijn aan elkaar gelaste, vegetatief aandoende, metaalkonstrukties zorgt daarvoor. Het is of een grillig maar markant grafisch effect op wonderlijke wijze driedimensionaal is geworden, hetgeen niet gering bijdraagt tot een spookachtige en gevaarlijke magie. Het is een giftig woekerend spel van kantige, aggressieve, de hemel inschietende vormen, soms door een verterende kanker aangetast. Plant- en visachtige vormen overgaand in venijnige sabels, snavels, harpoenen, bekken, verstikkende lianen en martelwerktuigen of bezeten insekten. Het zijn geraffineerde, als uit een beklemmende droom gestolde moerasplanten van metaal: zeer organisch aandoend echter. Zijn volslagen experimenteel behandelde, naar de grondvorm echter praktisch naturalistische menselijke figuur (zie afb. 83) werpt nieuwe en interessante problemen op. Men kan zeggen dat de naoorlogse abstracte en experimentele kunst op geheel nieuwe wijze het kontakt tussen kunst en visuele werkelijkheid herstelt, waarvan dit beeld één der merkwaardigste illustraties is die men zich kan denken.

Ook hier ziet men hoe een rijpend kunstenaar een beeld van zijn wereld ontwerpt, een grondprincipe, een magische sleutel die talloze deuren opent. Dit is niet alleen een zaak van de kunstenaar maar ook van kreatieve wetenschapsmensen. Lieden als Freud, Einstein, Adler en Jung scheppen – of men het met hen eens is of niet – een wereldbeeld. Ze vinden het niet uit. Ze vinden het in zichzelf. Het komt uit hen op en daarom verschilt het onderling sterk, al maken ze er ieder voor zich een gesloten systeem van. Ze kreëren een grondprincipe waarmee ze een organische samenhang duiden.

Bij Charlotte van Pallandt liggen de zaken anders dan bij Stuivenberg en Tajiri. De dingen die ze op het hart heeft zegt ze niet buiten de zichtbare werkelijkheid om. Hieraan ligt ongetwijfeld de overtuiging ten grondslag dat de objekten uit de zichtbare en dagelijkse wereld even geschikt zijn voor het zichtbaar maken als abstracte vormen. Haar werk is allerminst een schools en anekdotisch noteren, of een journalistiek met de middelen van de beeldhouwer. Wat ze in haar intens geobserveerde objekten herkent komt er als plastische waarde met onmiskenbare bewogenheid – pretentieloos – uit. Ik voel mij nu langzamerhand gedwongen tot een intermezzo, waarin ik dreigende misverstanden zal trachten te voorkomen. Vóór alles moet het duidelijk zijn dat ik niet de tekst voor een catalogus schrijf en ook geen kritiek, maar een omtrent de beweegredenen van beeldhouwers voorlichtende inleiding. Als ik dus namen noem heeft dat geen kwalificerende betekenis. Ik doe het om bij deze inleiding passende technische redenen van illustratieve geschiktheid, hoofdzakelijk om via de foto's mijn tekst te verduidelijken, zoals omgekeerd mijn tekst de foto's dient.

Mijn inleiding is stimulerend bedoeld en niet descriptief. Het gaat erom de lezers tot 'zelf-kijken' op te wekken, tot het belangrijkste wat men t.o.v. beeldende kunst kan doen. Nu dit gezegd is durf ik weer verder te gaan. We hebben drie voorbeelden bekeken van sterk uiteenlopende instellingen t.o.v. de visuele werkelijkheid. Hierdoor raken we aan een belangrijk punt: de rol die de voorstelling – of wat men daaronder verstaat – in het werk speelt – of niet speelt. De in dit boekje afgebeelde werken vertonen wat dat betreft niet te verwaarlozen verschillen. In het merendeel van de gereproduceerde werken is de voorstelling op de een of andere manier te vinden. Men kan zelfs beweren dat abstract werk ook een voorstelling is: niet van dingen die samenvallen met de zichtbare werkelijkheid van alle dag, maar van het innerlijk van de kunstenaar. Hoe verleidelijk echter deze gedachtegang is, we zullen haar om der wille van de eenvoud moeten laten voor wat ze is. De voorstelling: Meestal verstaat men daaronder de min of meer duidelijke afbeelding van figuren en dingen aan de zichtbare werkelijkheid ontleend.

Dit klopt niet helemaal, want de duivelarijen van Bosch en Brueghel, de fantasmagorieën van de surrealisten en in het algemeen de uitingen van 'fantastische' kunst rekent men evenzeer tot de voorstellingen, mits ze zijn uitgevoerd in een naturalistisch aandoende techniek. Armen en benen hoeven dan niet op hun plaats te zitten, op mensenlijven mogen best vogelkoppen groeien en uit tussen billen gestoken trechters mogen vogels ontsnappen. Ook als surrealisten slaphangende horloges over boomtakken slingeren is dat allemaal voorstelling, zolang men maar kan zien dat het horloges zijn. Men kan zich dan nog afvragen waarom er zo vreemd mee is omgesprongen. Hier gaat het dus duidelijk niet om dingen die men in de dagelijkse praktijk van het leven tegenkomt. Het wordt voor de meesten pas moeilijk als de bewerking van de voorstelling de paden van het imitatieve verlaat. Een vrijwel normaal opgebouwde figuur kan minder naturalistisch vertolkt zijn dan onverschillig welk zieltogend horloge der surrealisten. In dat geval treedt de voorstelling terug achter het beeldende en wordt daardoor onbelangrijker. *Wat* er is uitgebeeld – beter gezegd de aanleiding daartoe – wordt onbelangrijker dan *hoe* dat is gebeurd. De behandeling van de voorstelling kan dus variëren tussen ijverig kopiëren – dan is ze hoofdzaak geworden – en ondergeschikt maken aan beeldende principes. Het hoeft geen betoog dat natuur'getrouwe' behandeling van het onderwerp alle artistieke zin ontbeert als het *alleen* maar gaat om zorgvuldige imitatie. Zelfs het meest naturalistische werk ontkomt niet aan vulgariteit als beeldende kwaliteiten – ruimte, volume, spanning, zeggingskracht – de noodzakelijkheid van de 'herschepping' niet aannemelijk maken.

Naast beeldhouwers, die met grote mate van natuur-'getrouwheid' de voorstelling benaderen is er in dit boekje een groot aantal te vinden, dat de voorstelling ondergeschikt maakt en benut om – mèt behoud van de herkenbaarheid – ritme, volume, spanning, dynamiek, tederheid of wat er nog meer mogelijk is tot uitdrukking te brengen. Het gaat hier niet om een '-isme' of een streng afgepaalde groep. Het gaat veeleer om lieden die zich op talloze manieren van de taal der abstraktie bedienen, zonder dat een haar op hun hoofd er aan denkt de voorstelling werkelijk los te laten. Ze zijn niet abstrakt, maar abstraheren tussen twee polen – die van de afbeelding en die van de volslagen abstraktie. Vanzelfsprekend zijn hun onderlinge verschillen soms nogal groot, al naar gelang ze zich vlak in de nabijheid van tegengestelde polen bevinden. De middengroep vertoont echter sterke overeenkomsten. In 't algemeen komt het neer op schematisering van de vorm in de voorstelling. Een behoud van de herkenbaarheid, waarbij men tot grote vormspanning tracht te komen door een minimum aan detail. In ieder geval is hieruit in het figuratieve vlak een manier van omspringen met de figuur ontstaan die internationaal talloze vertegenwoordigers telt en een aanpassing van het figuratieve beeldhouwwerk aan een hedendaags gevoel voor de ruimte betekent.

Terugkomend op de verschillen binnen dit vlak mogelijk, kunnen we, een greep doend uit de afgebeelde werken, zuiver illustratief, een vergelijking maken tussen Dick Bus, Jos. van Riemsdijk en bijv. Hekman. Bus is – tenminste in het hier afgebeelde – het verst gegaan in rigoureuse schematisering van het essentieel vrouwelijke. Het is bijna teruggebracht tot de grens van drie dimensionale tekens, ware het niet dat de duidelijk bewaarde relatie tot de visuele waarneming van het dagelijks waarneembare fenomeen vrouw, het tegelijkertijd van die grens verwijderd houdt. Bij Jos. van Riemsdijk is die dagelijkse vrouwelijke realiteit ondanks een gracieuse stylering – of misschien juist daardoor – veel onmiddellijker bij het werk betrokken, terwijl Hekman de spanningsvolumen die hij – bij wijze van spreken – tussen de dunne voetjes en onderbenen en kleine hoofdjes aanbrengt, de verbijsterende zwelling van oervrouwelijke vruchtbaarheid tracht te verlenen. Drie beeldende mentaliteiten die op drie verschillende manieren een essentieel vrouwelijke vormbeleving trachten te realiseren. In het voorgaande spraken we over de invloed op de beeldhouwkunst van het kubisme. Deze als richting in het schilderen begonnen 'gebeurtenis' – zo kan men het zonder bezwaar noemen – in het vlak van de vormgeving is op zijn beurt beïnvloed door de skulptuur. Niet door de Europese plastiek, wel te verstaan, maar door wat men enigszins simpel aanduidt als 'negerplastiek'. Het mag dan zo zijn dat beeldhouwers profiteerden van het nieuwe vormbesef door de kubisten voor ogen getoverd en dit toepasten in hun eigen materiaal, via de omweg over de negerplastiek kwamen ze direct op eigen terrein: dat van tastbare vorm in ruimtelijk vereenvoudigde opbouw. Het tweedimensionale scheppen van een nieuwe kleurruimte werd bij hen het scheppen van een werkelijke driedimensionale ruimte, met nieuwe middelen, des te sterker sprekend daar men in de schilderkunst bewust afstand deed van de 'schijn' ruimte, van de tweedimensionale imitatie van het driedimensionale.

Ik heb al gezegd: men zocht naar het wezenlijke en dat liefst in absolute vorm. Een schilderij behoorde dus konsekwent binnen 'het vlak' te liggen en niet te koketteren met het driedimensionale, dat tot de eigenlijke geaardheid van het beeldhouwen behoort. De moderne kunst heeft talloze vensters opengegooid, soms opengebroken, om dingen te zien waaraan men achteloos en met dédain was voorbijgegaan. En er bleek genoeg te zijn om met andere ogen naar te kijken. Want de ontwikkeling van de kunst, door de eeuwen en op alle mogelijke plaatsen van de wereld, heeft nog wel andere dingen opgeleverd, dan de ons sinds de renaissance overgeleverde, gemeengoed geworden en tenslotte gedegenereerde vormprincipes, die overigens, gezien tegen het immens uitgebreide en veelzijdige vlak van de kunstproduktie door de tijden, slechts een fraktie van onze kapaciteiten omvat. Na de uitputtende roofbouw op het renaissancistisch basisprincipe was een bloedtransfusie broodnodig, wilde de kunst niet anaemisch verpieteren. De schellen vielen zo abrupt van de ogen dat men met de gretigheid van een nieuwe renaissance het besef ontwikkelde dat in de kunst alles kan, omdat alle vormen bruikbaar zijn. Picasso is daar het vleesgeworden voorbeeld van. Hij is een mens van die nieuwe renaissance, in zijn voor niets terugdeinzende moed, uitbundigheid, wreedheid en negatie van grenzen, daarin lijkend op de mens van de oude renaissance, die hij, zoals ons allen te doen staat heeft afgeschud. Oosterse en archaïsche kunst zijn geestelijk geplunderd om opnieuw te worden geïnterpreteerd. De decoratieve stylering van Klinkenberg's kat roept een zwakke geur van de Oriënt op.

In onze hedendaagse kunst is stylering een probleem met verscheidene facetten. Vormvereenvoudiging valt er niet zonder meer mee samen, maar is er niet van los te denken. De stylering van Bronners figuren is minder decoratief, menselijker van expressie, ondanks de sterke reductie van de vorm tot het allereenvoudigste. Het gestyleerde bij Nel Klaassen roept door een gerichtheid op beweeglijkheid der vlakken een verre echo van een van de scheurkiezen ontdaan futurisme op. Stylering in gedegenereerde vorm verwordt tot sierkunst, maar kan in de ban van een groot vormgevoel doelbewust de richting naar monumentaliteit inslaan. Het werk van Termote is een voorbeeld van monumentale stylering, zo men wil van gestyleerde monumentaliteit, in een vorm die sterke herinneringen oproept aan de tijd waarin men oog begon te krijgen voor deze zaken. Men herinnert zich bruggen en gebouwen zoals ze toenmaals ontstonden, in een toen nieuw aandoende massiviteit, opgeluisterd door beeldhouwwerk van een zwaar, dikwijls gestyleerd, deze massiviteit onderstrepend, karakter. Omtrent het begrip monumentaliteit hebben zich verschillende opvattingen ontwikkeld, het essentiële ervan in de abstractie het meest los van bijgedachten benaderend. Daarin immers kan men monumentaliteit zien en denken als een eigenschap die de vorm in het algemeen kan bezitten niet persé verbonden aan een olifant, een Hercules, een bootwerker etc. Een figuur als Zweerus tracht ook in kleinere werken dit principe te realiseren door middel van de opbouw van elementaire massa's die 'groot' gezien zijn. Monumentaliteit heeft minder te maken met de afmetingen dan wel met de verhoudingen. Monumentale geaardheid kan zelfs spreken uit een kleine ontwerpschets. Hiermee bedoel ik overigens niet dat een bepaalde afmeting voor een bepaald kunstwerk niet de beste vorm zou zijn waarin het gerealiseerd kan worden. Monumentaliteit ligt in het vlak waarop architecten en beeldhouwers elkaar kunnen vinden en hun beider kunstvormen een zinvol en vruchtbaar liaison kunnen aangaan. Problemen van andere gesteldheid worden gepresenteerd door het werk van Ittman; draadachtig de ruimte omsluitende en weer doorlatende figuren brengen ruimtegevoel tot bewustzijn, doordat de ruimte eerder omschreven dan gevuld wordt en buitendien door ijl lineair spel altijd binnen in de meer 'gedachte' dan tastbare vorm 'zichtbaar' blijft. Henry Moore – de Engelse beeldhouwer – verklaart in een van zijn geschriften dat het hoofdprobleem van de hedendaagse beeldhouwer de ruimte is en dat vorm en ruimte niet slechts bij elkaar behoren maar in wezen één zijn. Zonder vorm geen bewustzijn van de ruimte. Hij duidt ook aan dat men, zo men de ruimte door middel van het werk bewust wil maken, de vorm op bepaalde manieren – niet imitatief – zal moeten hanteren: vervormen, overtrekken, uit het lood brengen, asymmetrie.

In draadplastieken wordt in uiterste konsekwentie een ander door Moore toegelicht principe tot werking gebracht. Volgens hem ontstaat plastiek tussen een oneindig aantal elkaar aanvullende, snijdende en daardoor een oppervlakte omsluitende lijnen. Dat is, zegt hij, echter alleen nog maar een kwestie van het oppervlak, een oppervlakkige zaak zou men dus kunnen zeggen. Van belang voor de plastiek is vooral de spanning 'van binnenuit': een 'volheid van leven'. We komen hier terecht bij een andere kant van de ruimte-beelding: de 'negatieve' vorm, de negatieve plastiek; populair gezegd de holtes en gaten in het beeldhouwwerk waar de doorsnee toeschouwer ze het minst verwacht; dat blijkt uit kreten als: in plaats van een borst zit er een gat etc. Dikwijls kan men de ruimte niet meer doordringend voelbaar maken middels geijkte vormen en symbolen; daarvoor zijn ze te vanzelfsprekend geworden. In het gebied van het abstrakte, na de tweede wereldoorlog, ligt het experimentele: een nieuw randgebied waarin opnieuw betrekkingen met de visuele werkelijkheid ontstaan. Men abstraheert die visuele werkelijkheid niet, men groeit er ook niet zozeer vanuit de abstraktie naar toe, men is er veeleer aan verwant, door toepassing van mogelijkheden die door de abstrakten tussen de twee wereldoorlogen op grote schaal werden verwaarloosd. Thans is het organische duidelijker dan ooit in de abstraktie betrokken, waardoor het begrip abstrakte kunst een niet te miskennen uitbreiding van zijn inhoud heeft ondergaan.

In het begin van deze inleiding heb ik gesteld dat de moderne beeldhouwkunst eerder als reactie *tegen*, dan als voortzetting op Rodin – ondanks diens vernieuwend optreden – is gestart. Nu, na een aantal jaren de invloed van technoïde abstraktie en kubistische systematiek te hebben ondergaan, nadert men onder invloed van organische verruiming van het vormarsenaal weer veel dichter tot de boetserende, levende, beweeglijke toets die het oppervlak struktureert. Dit betekent in genen dele dat men de draad weer heeft opgevat, waar hij bij Rodin is afgebroken. Wel houdt het in dat – met de winst van konstruktiviteit behouden – men levendigheid, directheid en emotionaliteit weer een, soms bijna schilderachtige, kans geeft. Een kunstenaar als Couzijn heeft met groot inzicht geprofiteerd van deze verlossing van de abstraktie uit een de ontwikkeling remmende orthodoxie. Zijn werk is een samenvatting van konstruktieve en emotionele kapaciteiten van de moderne beeldhouwkunst, des te boeiender door de veelzijdigheid en avontuurlijkheid van zijn exploraties in het gebied van de vorm. In de periferie van het experimentele treft men vormgevingen aan die het sur-reële benaderen en ons herinneren aan het 'objet-trouvé' en aan automatisme, waarin fascinerende strukturen een rol spelen. Misschien kunnen we de kadaverachtige spookachtigheid van sommige van Kneulmans figuren hier bij onderbrengen, vooral de figuur, in dit boekje afgebeeld, waarvan men zich kan afvragen: is dit nog wel een mens? of is het een gruwelijke strandvondst, een takachtig verdord wezen? Het opzettelijk 'niet-mooie' is uitdrukking van de relatie van de vorm tot een weinig naar esthetiek neigende inhoud, waarin geen plaats is voor een zoetelijke ervaring van het leven. Buitendien is het een soms huiveringwekkend spel met vormverwantschappen die men in het dagelijks leven in het algemeen niet met elkaar associeert, maar die als beeldend-symbolische faktor voor de kunst enorm belangrijk kunnen zijn; goed beschouwd niet eens zo ver buiten de gezichtskring van de leek, die op platvloerser wijze toch wel gewend is aan vergelijkingen tussen ouderdom en herfst of winter, of het symboliseren van jeugd door jong gewas enz. De stap naar minder voor de hand liggende en afgetrapte vergelijkingen zou eigenlijk niet zo groot hoeven te zijn, maar blijkt voor velen toch even onoverkomelijk, alsof het gaat om de sprong over een levensgevaarlijke kloof. Deze veelvormigheid van de hedendaagse beeldhouwkunst blijkt wanneer men een klassicist als de Groot, vergelijkt met de spichtig-avontuurlijk werkende Grosman, of met de druipsteengrotvormen voortbrengende Guntenaar. Het beeld wordt nog veelzijdiger als men er de direkt geobserveerde, maar niet zonder diepe emotie vervaardigde, portretkoppen van van Lith tegenoverstelt. Het komt voor, dat kunstenaars sterk uiteenlopende vorm- en stijlprincipes in één werk trachten te versmelten, hetgeen een hachelijke onderneming is, waaruit merkwaardige gevallen kunnen voortkomen. Het Troelstra-monument van Esser is een kurieuse poging de coëxistentie mogelijk te maken tussen nauwelijks gestyleerde figuren en een uiterst sober, groot en strak gehouden, in wezen abstrakte, vorm. Ten overvloede kan men nog de impressionistisch naturalistische portretten van Wertheim, en het enigszins popachtige in het op het klassieke geïnspireerde bij Weddepohl, vergelijken met – beiden tot abstrakte stylering neigend – Wezelaar en van Zweden of met Titus Leeser, die zich uitdrukt in een minder door de torturen onzer tijd bezocht idioom. Aanzienlijk zijn ook de verschillen tussen Rooyackers en van Hoorn, beiden van de realiteit uitgaand – en er 'iets mee doend' – tussen Hund en de met havikachtige felheid gekoncipieerde van Goghkop van Schaller. Carasso is geen abstrakt kunstenaar, maar zelfs als hij heel dicht bij de zichtbare werkelijkheid blijft kan hij door opbouw, rhythme en een – het klinkt wat paradoxaal – 'evenwichtige verstoring van het evenwicht' getuigen van een onmiskenbare, een soort natuurlijke, kennis van de beeldende waarde van het abstraheren. Hierin onderscheidt hij zich, door verschillen in geaardheid en inhoud, opvallend van bijv. Koreman die grootscheepse vereenvoudigingen aanbrengt in de uitbeelding van zijn onderwerp. Ik ga deze opsomming besluiten. Ik accentueer nog eens dat ik, als ik figuren ongenoemd liet, dit niet deed omdat ze niet even goed als voorbeeld hadden kunnen dienen. Men dient zich echter te beperken, omdat de hoofdzaak is een stimulans aan 'het zien' te bieden. Dit boekje is voornamelijk gewijd aan de 'Nederlandse kring van beeldhouwers', aan mensen die door hard werk de problemen van de beeldhouwkunst van onze tijd trachten vorm te geven en op te lossen. De kunst van onze dagen behoort bij ons als onze stem, onze handen, ons gezicht. Ik wil het sterker zeggen: *is* onze stem, *is* ons gezicht, het bewijs leverend dat leven en kunst *één* zijn.

GEORGE LAMPE

32

Bij de afbeeldingen

Bij de keuze van het in dit fotoboek verzamelde beeldhouwwerk is de fotograaf voornamelijk uitgegaan van de ledenlijst van de Nederlandse Kring van Beeldhouwers, die als onderdeel van de Federatie van Beroepsverenigingen van Kunstenaars een officiële status heeft en als het grootste lichaam binnen deze organisatie, geacht kan worden alle richtingen te vertegenwoordigen.

Zonder enige persoonlijke voorkeur te laten gelden, heeft hij een exposé gegeven van het werk van bijna alle leden van deze Kring zoals hij dat aantrof op de ateliers en in het openbaar.

In dit verslag zijn veel werken opgenomen die men, doordat ze nieuw zijn of doordat opzettelijk gezocht werd naar interessante, niet reeds eerder gepubliceerde objecten, in geen enkel tot dusver verschenen boek zal aantreffen.

Er is, naar verhouding, veel op ateliers gefotografeerd, en beeldhouwers die bekend zijn om de door hen uitgevoerde monumentale opdrachten, zijn soms slechts vertegenwoordigd door kleinere plastieken, die echter niet minder interessant of belangrijk behoeven te zijn. De bedoeling was dat men ook eens met deze zijde van hun oeuvre zou kennismaken.

De aard van deze publicatie verschilt met die van andere, doordat uit een veelheid van dingen een boek samengesteld moest worden dat niet alleen voor de kenner interessant zou zijn, maar daar het in het populaire formaat van de zakeditie verschijnt, ook, of zelfs juist het grote publiek zou aanspreken.

Zowel fotografisch gezien als met het oog op de

reproductie, moest het materiaal met zorg gekozen en gevarieerd worden, opdat het boek een zekere balans verkreeg en tegelijk door zijn afwisseling zou blijven boeien.

Er is grote zorg aan besteed, het werk beeldhouwkundig zuiver weer te geven zonder daarmee het boek te statisch te maken. Zoveel mogelijk zijn picturale effecten vermeden, daar de camera in dit geval volkomen ondergeschikt moest blijven aan de eisen die de objecten stelden.

De tijdslimiet, het feit dat niet ieder werk op zijn gunstigst benaderd kon worden door plaatsing of belichting, noodzaakten de fotograaf op een gegeven moment op te houden, hoewel hij graag had getracht bepaalde objecten nog eens opnieuw en anders af te beelden.

Overigens is voor dit boek duizenden kilometers gereisd, door geheel Nederland. Vaak is de fotograaf ergens twee- tot driemaal teruggekomen, steeds op verschillende tijden, bij ander licht, om tot de beste opname te geraken. Helaas was dit echter ook weer niet altijd en in alle gevallen mogelijk. Hij heeft zich echter getroost met de gedachte dat zijn werk slechts catalogiserend kon zijn en met de hoop dat het verzamelde materiaal aanleiding mocht zijn de beschouwer tot een nader en persoonlijk contact met het afgebeelde werk te brengen. Een boek over de beeldhouwkunst is goed, maar de beeldhouwkunst zelf is altijd beter. Moge, hoe bescheiden ook, dit boek dan een middel zijn om velen tot meerdere kennis en waardering van de Nederlandse beeldhouwkunst te brengen.

HERMAN J. HAHNDIECK

Daar het in deze beknopte inleiding tot de hedendaagse Nederlandse beeldhouwkunst in de eerste plaats gaat om het plastisch effect zoals dit door de foto wordt overgebracht, zijn vermeldingen inzake voorstelling, materiaal e.d. achterwege gelaten. Voor alle inlichtingen omtrent hun al of niet afgebeelde werken wende men zich tot de beeldhouwers zelf, wier adressen hieronder volgen.

Omslag: Prof. J. Bronner,
Jac. Marisplein 8, Amsterdam W

Frontispice: Gijsbert Jacobs van den Hof,
Van Limburg Stirumlaan 20, Arnhem,
tel. 2 10 25

1 Mari Andriessen,
Wagenweg 244, Haarlem, tel. 3 50 44

2,3 Prof. J. Bronner
zie omslag

4 Mej. L. E. Beyerman,
Molenpad 17, Amsterdam C, tel. 4 12 03

5 G. Bolhuis,
Van Breestraat 106, Amsterdam Z, tel. 71 52 45

6 Marius van Beek,
Lebretweg 78, Oosterbeek

7 F. van der Burgt,
Jonkvrouw de la Courtlaan 5, Rosmalen

8 L. P. J. Braat,
Amstel 250, Amsterdam C, tel. 3 68 45

9 Dick Bus,
Prinsevinkenpark 23, Den Haag, tel. 55 69 57

10,11 Fred Carasso,
Zomerdijkstraat 16hs, Amsterdam Z, tel. 72 24 27

12,13 W. Couzijn,
Kerkstraat 199², Amsterdam C, tel. 4 99 30

14,15 P. L. Damsté,
Prinsengracht 199⁴, Amsterdam C

16 Prof. V. P. S. Esser,
Zomerdijkstraat 28hs, Amsterdam Z, tel. 9 77 43

17 Mevr. C. Franzen-Heslenfeld,
Timorstraat 133, Den Haag

18 Mevr. C. Hausbrand-Demmink,
Bij de Berg, Blaricum, tel. 26 36

19,20 Prof. Paul Grégoire,
Brink 19, Laren, tel. 26 78

21,22 P. A. de Groot,
Vissershavenweg 61c, Den Haag, tel. 55 62 13

23,24 John Grosman,
Zomerdijkstraat 24, Amsterdam Z, tel. 73 67 17

25,26 Ben Guntenaar,
Van Breestraat 137, Amsterdam Z, tel. 79 50 63

27 Jan (W.) Havermans,
Oude Pastorie, Sloterdijk, Amsterdam W,
tel. 8 51 95

28,29 Mevr. Fri Heil,
Utrechtseweg 127, Arnhem, tel. 2 66 27

30,31 J. Hekman,
Noordersluis, Utrecht, tel. 3 06 02

32,33 Piet d'Hont,
Fred. Hendrikstraat 60, Utrecht, tel. 2 68 36

34,35 Wim van Hoorn,
Amstel 268, Amsterdam C

36 *Atelier* G. Hoppen †

37,38 Cor Hund,
Plantage Parklaan 2, Amsterdam, tel. 5 29 67

39,40 H. Ittman,
Groenburgwal 35, Amsterdam C, tel. 6 65 10

41 Gijsbert Jacobs van den Hof,
zie frontispice

42 S. Klinkenberg,
Hamelakkerlaan 19, Wageningen, tel. 26 83

43,44 Mevr. Nel Klaassen,
Blvd. Paulus Loot 21, Zandvoort, tel. 30 65

45,46 Carel Kneulman,
Stadhouderskade 70², Amsterdam, tel. 72 35 19

47,48 Paul Koning,
Woonschip 'Grisbi', 't Rooboes, Eemnes

49 H. Koreman,
Baronielaan 201, Breda, tel. 30 95

50 P. Killaars,
Looiersgracht 21, Maastricht, tel. 1 89 88

51,52 Hildo Krop,
Amstel 57, Amsterdam C, tel. 5 10 76

53,54 Titus Leeser,
'Twee Sparren', Ommen, tel. 151

55,56 Hubert (C.M.) van Lith,
Galerij 48, Amsterdam C, tel. 3 91 86

57,58 Jan van Luyn,
Van Speijkstraat 10, Utrecht, tel. 2 49 97

59,60 Joop (P.W.) Meefout,
Linnaeusstraat 223^2, Amsterdam O,
tel. 74 04 50

61,62 Charlotte (H.D. Baronesse) van Pallandt,
Zomerdijkstraat 16^2, Amsterdam Z, tel. 71 28 79

63 Jacques van Rhijn,
Lomanstraat 76, Amsterdam Z, tel. 71 73 01

64 H. Reicher,
Tweede Weteringsplantsoen 13^2, Amsterdam C,
tel. 3 56 23

65,66 Mevr. J. G. van Riemsdijk,
Riouwstraat 41, Den Haag, tel. 55 80 59

67 Rudi Rooyackers,
Kerkstraat 34, Voorburg, tel. Den Haag,
77 99 45

68 Mej. Gra (J. W.) Rueb,
Jacob Mosselstraat 34, Den Haag, tel. 85 24 57

69 J. M. Roosenburg,
Kasteel Oost, Eysden, tel. 343

70 Mej. Gerarda Rueter,
Velserweg 59, Amsterdam W, tel. 8 53 33

71 H. Reicher
zie 64

72,73 A. P. Schaller,
Plantage Muidergracht 29, Amsterdam,
tel. 74 33 26

74 Frits Sieger,
Keizersgracht 50, Amsterdam C, tel. 4 88 37

75 Bertus (H.) Sondaar,
'Oud-Over', Loenen a. d. Vecht, tel. 226

76,77 Cephas Stauthamer,
O.Z. Voorburgwal 57, Amsterdam C,
tel. 24 55 06

78,79 Miel Steenbergen,
Warandelaan 43, Oosterhout, tel. 32 57

80,81 Piet (A.) van Stuivenberg,
Rotterdamsedijk 297, Schiedam

82,83 Shinkichi Tajiri,
Valkenburgerstraat 150, Amsterdam,
tel. 6 67 94

84 Albert Termote,
Noordenburgerlaan 44, Voorburg, Den Haag
tel. 77 93 05

85 Willem Valk,
Eelderwolde 47, Eelde, tel. 2 55 71

86 J. G. Wertheim,
Nieuw Larenweg 24, Laren N.H., tel. 39 29

87 Charles Weddepohl,
West 7, Holl. Rading

88 Han (M.) Wezelaar,
Vossiusstraat 50bv, Amsterdam Z, tel. 72 58 41

89 Prof. L. O. Wenckebach,
Gooweg 40, Noordwijkerhout, tel. 24 12

90 J. H. van Zweden,
L. van Pabststraat 31, Arnhem, tel. 2 25 79

91,92 Henk (J. M.) Zweerus,
Okeghemstraat 23bv, Amsterdam Z, tel. 9 51 45

1

2

3

◀ 1. Mari Andriessen
2. 3. Prof. J. Bronner

4

4. Mej. L. E. Beyerman

5. G. Bolhuis

6. Marius van Beek

9

11

10, 11. Fred Carasso

12, 13. W. Couzijn

13

14

14, 15. P. L. Damsté

6. Prof. V. P. S. Esser

17. Mevr. C. Franzen-Heslenfeld   18. C. Hausbrand Demmink

22

◀ 19, 20. Prof. Paul Grégoire   21, 22. P. A. de Groot

23, 24. John Grosman

24

26

29

32

33

34

34. 35. Wim van Hoorn

37

◀ 36. G. Hoppen 37, 38. Cor Hund

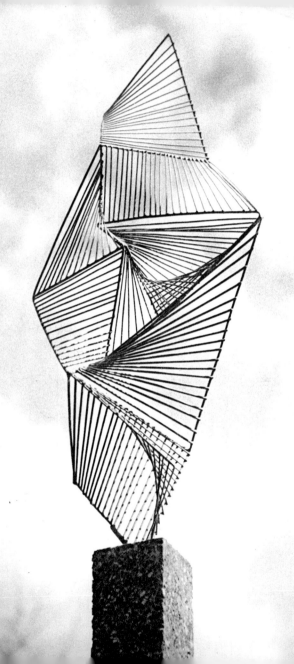

40

39, 40. H. Ittman

41. Gijsbert Jacobs van den Hof ▶

43

45

46

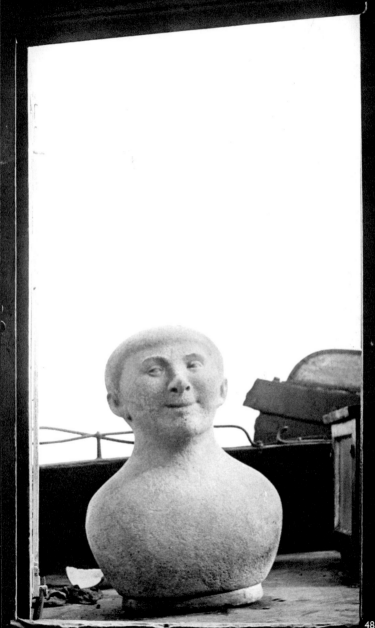

50

◀47, 48. Paul Koning

49. H. Koreman   50. P. Killaers

51

51, 52. Hildo Krop

53, 54. Titus Leeser

54

55, 56. Hubert van Lith

57, 58. Jan van Luyn

59, 60. Joop Meefout

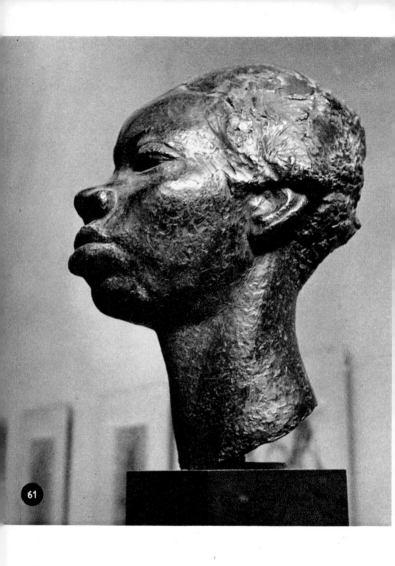

61

61, 62. Charlotte Baronesse van
Pallandt

64

65

.66

67. Rudi Rooyackers   68. Mej. Gra Rueb

71

73

74. Frits Sieger   75. Bertus Sondaar

77

76, 77. Cephas Stauthamer   78, 79. Niel Steenbergen ▶

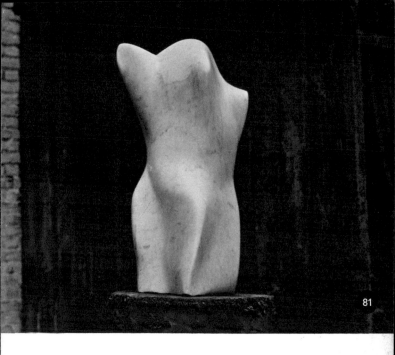

81

80, 81. Piet van Stuivenberg   82, 83. Shinkichi Tajiri ▶

84

88. Han Wezelaar

89. Prof. L. O. Wenckebach
90. J. H. van Zweden ▶

92

91, 92. Henk Zweerus